YN FFAU'R LLEWOD

STORI DANIEL
Gan Angharad Tomos
Darluniau gan Stephanie McFetridge Britt

**CYHOEDDIADAU'R
GAIR**

'Ble Mae Daniel?' Sawl gwaith mae plant wedi canu'r gân hon?
Bydd darllen y llyfr hwn yn gymaint o hwyl â canu'r gân.
Wedi darllen y llyfr unwaith neu ddwy, oedwch a gadael i'ch plentyn ddweud y gair dan sylw. Bydd stori Daniel yn gymorth i blentyn sylweddoli pwysigrwydd gweddi. Byddai hyn yn amser da i ddysgu'r plentyn i weddïo gweddi syml megis, 'Diolch Duw am y diwrnod heulog yma', 'Duw helpa i mi fod yn ufudd', 'Dwi'n dy garu di, Duw, a dwi'n falch dy fod yn fy ngharu innau'.

ⓑ Testun gwreiddiol: 1989 Roper Press Inc.
Cyd-argraffiad byd-eang wedi'i drefnu gan
Angus Hudson Ltd. Llundain.
ⓑ Testun Cymraeg: 1998 Cyhoeddiadau'r Gair.
Argraffwyd yn Hong Kong.
Awdur y testun gwreiddiol: Marilyn Lashbrook
Darluniau gan: Stephanie McFetridge Britt
Testun Cymraeg: Angharad Tomos

Golygydd Cyffredinol: Aled Davies

ISBN 1 85994 154 0

Cyhoeddwyd gan:
Cyhoeddiadau'r Gair, Cyngor Ysgolion Sul Cymru,
Ysgol Addysg, PCB, Safle'r Normal,
Bangor, Gwynedd, LL57 2PX.

YN FFAU'R LLEWOD

STORI DANIEL
Gan Angharad Tomos
Darluniau gan Stephanie McFetridge Britt

o Daniel 6

Roedd yr haul newydd
godi pan neidiodd Daniel
o'r gwely.

Pam oedd Daniel wedi codi mor gynnar?
Roedd o eisiau gweddïo.
Roedd o'n gweddïo pob dydd.
Daniel oedd un o weithwyr gorau'r brenin.
Roedd o angen help Duw i wneud diwrnod da
o waith.

Cafodd ei frolio gan y brenin am fod yn weithiwr mor dda.

Gwylltiodd y gweithwyr eraill yn arw.

Cawsant y syniad o dwyllo'r brenin i wneud rheol a fyddai'n achosi penbleth i Daniel.

Gwnaeth y brenin y camgymeriad o
arwyddo'r rheol wirion.
Y rheol oedd y byddai unrhyw un a fyddai'n
gweddïo ar Dduw

yn cael ei daflu i ffau'r LLEWOD! ………
LLEWOD BARUS LLWGLYD efo llond
ceg o DDANNEDD MINIOG!

Clywodd Daniel y rheol.

"Waeth gen i" meddyliodd.

"Does neb am fy rhwystro i rhag gweddïo ar Dduw, ddim hyd yn oed y brenin!"

Aeth Daniel adref ar ei union ……..
a gweddïo.
Gwyddai y byddai Duw yn gwrando.
Gwyddai y byddai Duw yn helpu.

Roedd gelynion Daniel yn ei wylio yn
gweddïo.
Roeddwn nhw ar dân eisiau cario clecs.

Cyn pen dim, roedden nhw wedi dweud
wrth y brenin.

Roedd y brenin yn torri ei galon.
Ni wyddai beth i'w wneud.
Roedd Daniel yn ffrind iddo.

Ond doedd wiw torri'r rheol, ac fe gymrwyd
Daniel ymaith gan y milwyr.

Llusgwyd Daniel i ffau'r
llewod gan y milwyr cryf.
AWRRRRRRRR
Roedd y llewod yn llwglyd!

"Boed i Dduw dy helpu" oedd unig
eiriau'r brenin.

Randros! Lluchiwyd Daniel i'r llewod.
Roedd eu DANNEDD MINIOG yn sgleinio.

Aeth y brenin adref, ond ni allai gysgu.
Ni allai yfed, ni allai fwyta.
Ni allai wneud dim, dim ond meddwl am
Daniel.

Yn gynnar fore drannoeth, brysiodd y brenin
o'i wely a brasgamu i weld a oedd ei gyfaill
yn dal yn fyw.

"A wnaeth Duw dy ACHUB DI?"
gwaeddodd yn bryderus.
Yna, disgwyliodd am ateb.

"DO!" gwaeddodd Daniel.
"Anfonodd Duw ei angylion i
gau cegau'r llewod".

Roedd y brenin uwch ben ei ddigon. "Dowch â Daniel o ffau'r llewod" gorchmynnodd.

Gwnaeth y brenin reol NEWYDD. "O'r dydd hwn, bydd pawb yn fy nheyrnas yn gweddïo i Dduw rhagorol Daniel!"